# ESTE SOY YO

Todos los niños tienen derecho a tener un nombre y una nacionalidad.

Cuando un bebé nace en la Argentina, los papás reciben la partida de nacimiento, donde figura el nombre y la nacionalidad de esta nueva persona.
Enseguida gestionan el DNI, que es el Documento Nacional de Identidad, que dice quiénes somos.
Los papás lo anotan en el Registro Civil, le ponen un nombre, le dan su apellido y lo inscriben como miembro de la República.
Con DNI o partida de nacimiento, el bebé tiene identidad legal: el país se entera de que hay un nuevo argentino.

**DOCUMENTO NACIONAL DE IDENTIDAD**

..................................................................
NOMBRE

..................................................................
APELLIDO

SEXO | VARÓN | MUJER |

NACIÓ EL .................... DE ....................................

DE 20 .................... EN ....................................

..................................................................

PROVINCIA ......................................................

NACIÓN ..........................................................

..................................................................

FIRMA

— 1 —

¿Quién eligió tu nombre?

¿Tiene algún significado?

# ESTE ES MI PAÍS

Nuestro país, la República Argentina, está formado por 23 provincias.

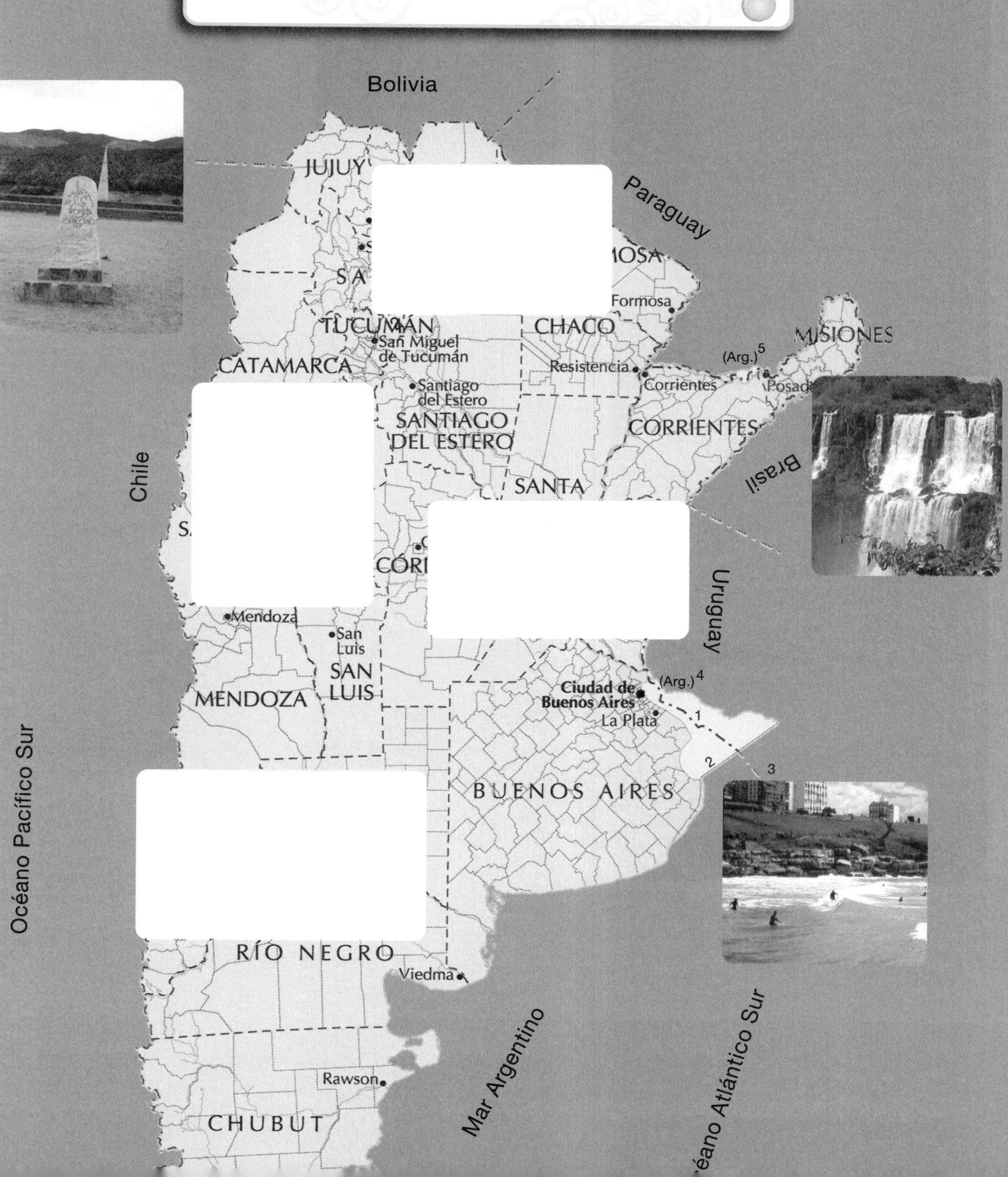

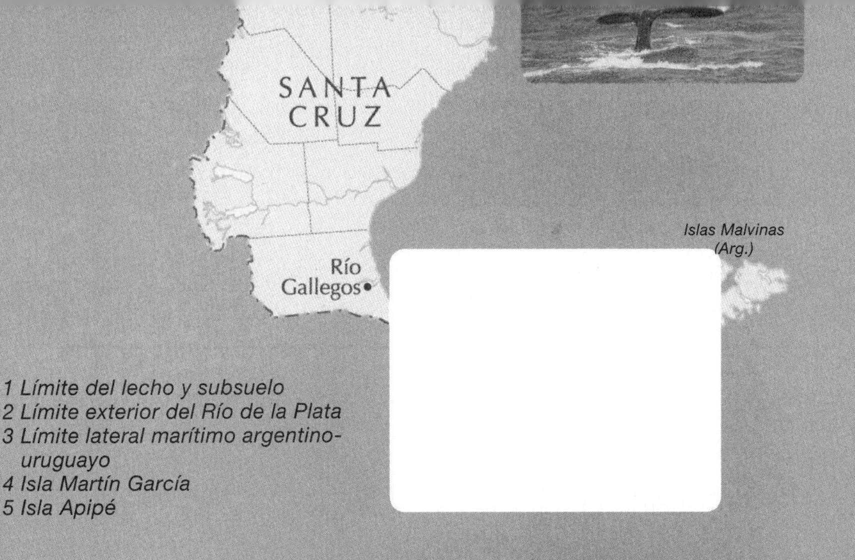

## POR CADA RESPUESTA CORRECTA, COLOREEN UNA BANDERITA ARGENTINA.

- ¿Qué provincias no limitan con ningún país?
- ¿Con cuántas provincias limita Chile?
- ¿En qué casos el nombre de la provincia y su capital es el mismo?
- ¿El nombre de qué provincia es capicúa?
- ¿Qué provincia visitan las ballenas?
- ¿Por qué Tierra del Fuego se denomina así, si allí hace tanto frío?
- ¿Cuál es la provincia más “inquieta”? ¿Y la más “alegre”?
- ¿Qué provincias no tienen salida al mar?
- ¿Qué provincia limita con otras siete provincias?
- ¿Cuál es la provincia más pequeña?

## MIREN SUS PUNTAJES. ¿CUÁNTAS BANDERITAS PINTARON?

De 10 a 8 banderitas: Son expertos argentinos.
De 7 a 5: ¡Son argentinos que se las saben casi todas!
De 4 a 1: Son argentinos que tienen que ponerse a estudiar.
Ninguna: ¿Qué están esperando para saber más sobre su país?

# LA BIENVENIDA

Hotel de Inmigrantes en Puerto Madero, Ciudad de Buenos Aires.

El **Hotel de Inmigrantes** fue construido para recibir, dar servicios, alojar y distribuir a los miles de inmigrantes que, procedentes de distintas partes del mundo, llegaban a nuestro país. La construcción estaba compuesta por varios pabellones destinados al desembarco, la búsqueda de empleo, administración, atención médica, alojamiento y traslado de los inmigrantes

**El Desembarcadero.** Cuando un barco llegaba, una junta de visita lo abordaba para verificar la documentación de los inmigrantes y permitirles o no bajar a tierra. También a bordo, un médico realizaba el control sanitario. La legislación prohibía la entrada de inmigrantes con enfermedades contagiosas, inválidos, locos o ancianos.
En uno de los galpones del Desembarcadero se revisaba el equipaje.

**La Oficina de Trabajo.** En este lugar se llevaba a cabo la búsqueda de empleo, la colocación y el traslado de los inmigrantes al sitio donde hubieran sido solicitados para trabajar.

**La Dirección.** En esta oficina se planificaban y dirigían las políticas migratorias de todo el país. También aquí se administraba el Hotel. En la planta baja funcionaba una sucursal del Banco de la Nación Argentina, para facilitar a los inmigrantes las operaciones de cambio.

**El Hospital.** Estaba equipado con los elementos más modernos de la época. Atendía a los inmigrantes que arribaban a Buenos Aires afectados, especialmente, por enfermedades vinculadas con el viaje y la mala alimentación.

**El Hotel.** Era una construcción de cuatro pisos, de espacios amplios y luminosos. En la planta baja funcionaban el comedor –con grandes ventanales hacia el jardín–, la cocina y las dependencias auxiliares. Los dormitorios estaban en los pisos superiores. Había cuatro por piso y cada uno tenía lugar para doscientas cincuenta personas. Este Hotel ¡podía alojar 4.000 personas! Y este alojamiento era gratuito y por cinco días.

14 de septiembre
Día del inmigrante

Los barcos arribaban de Europa repletos de personas que buscaban una vida mejor.

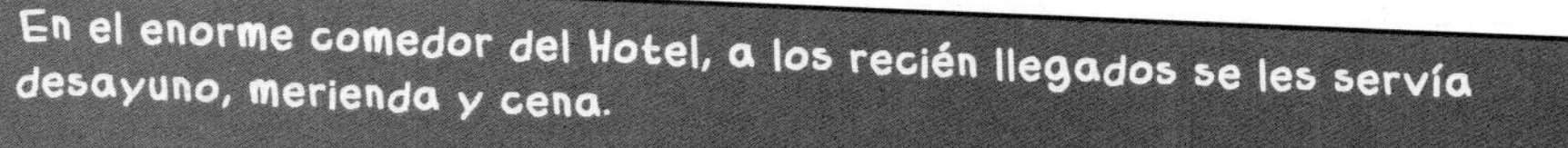

En el enorme comedor del Hotel, a los recién llegados se les servía desayuno, merienda y cena.

Algunos inmigrantes fueron trasladados a distintas provincias, y otros se quedaron en la Capital y habitaron viviendas colectivas conocidas como "conventillos".

Algunos inmigrantes vinieron solos; otros llegaron con sus familias.

2 BIODIVERSIDAD

# ¡SON UNOS VIVOS!

Peguen las figuritas de animales y observen sus características externas.

Pez

Hornero

Cocodrilo

Rana

Medusa

Conejo

Y estos animales, ¿a qué grupo pertenecen? Observen sus características y completen la ficha. Preparen más fichas para los demás animales.

Mamífero volador que duerme cabeza abajo.

Nombre:

Grupo:

Su cuerpo es:

Se desplaza:

Sus crías nacen:

Ave nadadora que come peces y no vuela.

El más grande de todos los seres vivos .
Habita los océanos.

Insecto a lunares que limpia de plagas el jardín.

Reptil con caparazón que nunca anda apurado.

# SOMOS INCREÍBLES

### ¿De quién es esa naricita?

La nariz se encarga de proteger los pulmones: calienta el aire que respiramos y filtra el polvo y los gérmenes.
Gran parte del sabor que percibimos es, en realidad, olor. Los alimentos desencadenan ambos sentidos. La nariz es por lo menos 20.000 veces más sensible que la lengua.

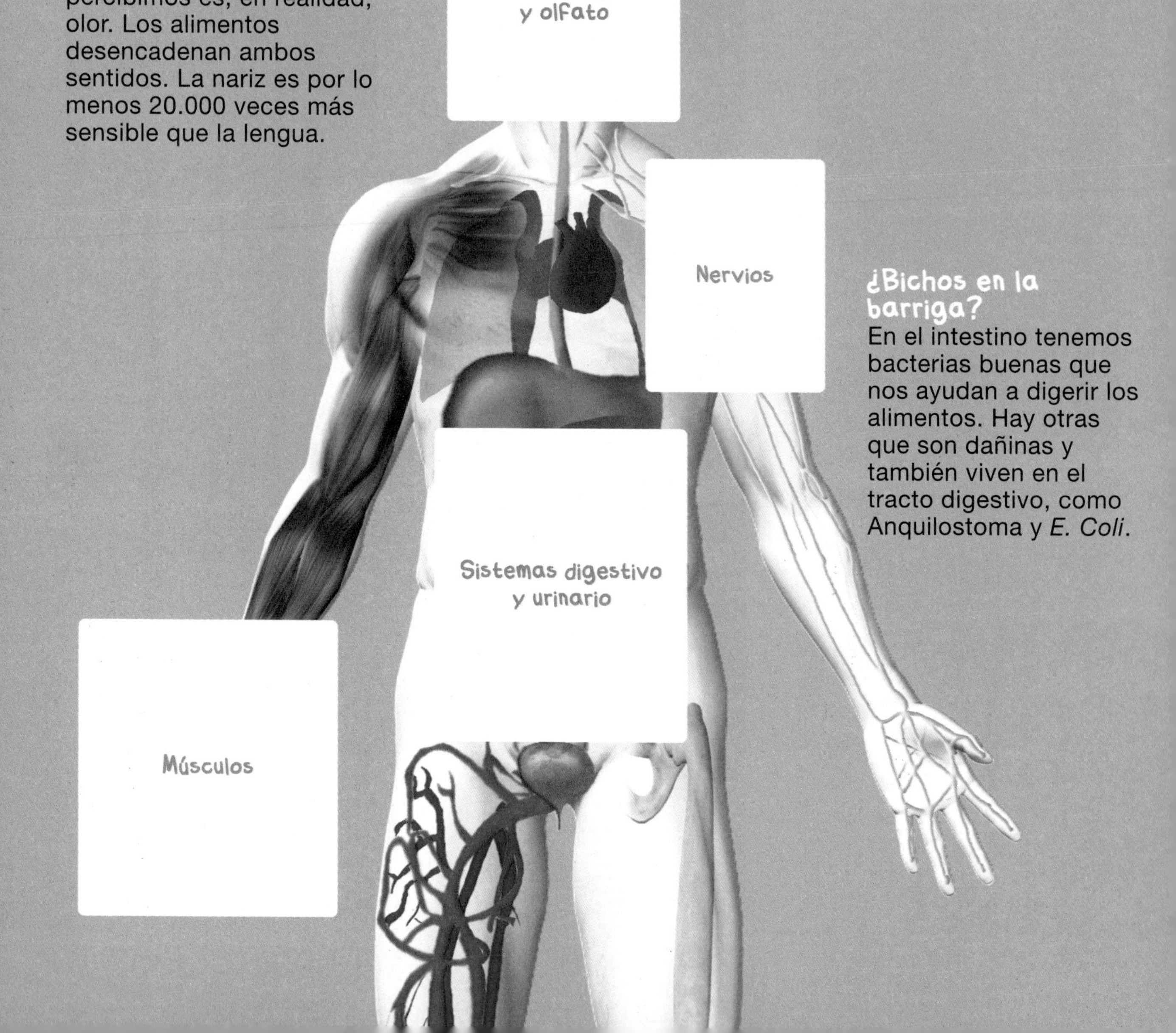


### ¿Bichos en la barriga?

En el intestino tenemos bacterias buenas que nos ayudan a digerir los alimentos. Hay otras que son dañinas y también viven en el tracto digestivo, como Anquilostoma y *E. Coli*.

### Seguí la corriente

La sangre lleva cientos de sustancias vitales por todo el cuerpo. Por eso los análisis de sangre revelan tantos datos sobre la salud. En la sangre viajan los nutrientes y el oxígeno para todo el cuerpo, los residuos, las defensas contra virus y bacterias, y las sustancias necesarias para la coagulación.

Venas y arterias

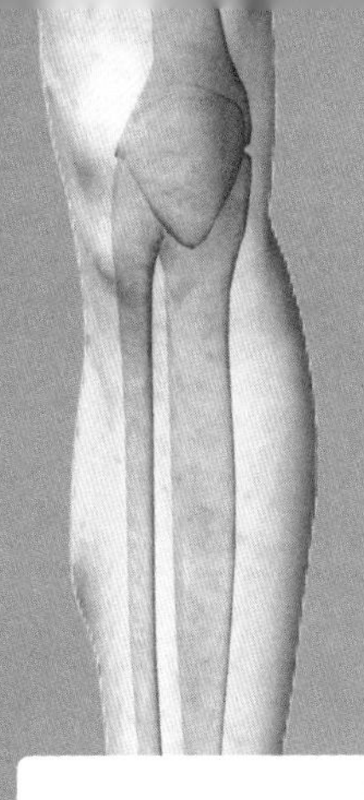

Huesos

### Se duermen...

Los brazos y las piernas se pueden "dormir" si se presiona un nervio. Cuando la presión se elimina, el nervio envía cantidad de señales al cerebro. Entonces, en esa zona se siente una sensación de "hormigueo".

El esmalte dental es la segunda sustancia más dura del mundo. Solo los diamantes le ganan en dureza.
La saliva es el enjuague bucal natural y mata las bacterias. A lo largo de la vida producimos saliva para llenar una pileta de natación.

Los reflejos son respuestas rápidas del sistema nervioso que no llegan al cerebro. Son "atajos" involuntarios que se producen en la médula espinal.
Parpadear, retirar la mano de algo caliente, estornudar, toser son todos actos reflejos.

### ¿Por qué tenemos sed?

Las dos terceras partes del cuerpo se componen de agua.
El equilibrio de agua y minerales en nuestro organismo debe ser el correcto. Los riñones mantienen este equilibrio produciendo más o menos orina, y para ello reciben instrucciones del cerebro. El cerebro controla la cantidad de agua en la sangre. Si hay muy poca agua, produce hormona antidiurética o HAD. Esta hormona hace que los riñones produzcan menos orina y también da sed. Al beber agua, el equilibrio del cuerpo se recupera.

PROCESOS PRODUCTIVOS

# DE PUNTA A PUNTA

**1** En los semilleros se almacenan las semillas.

**2** Las semillas se llevan al vivero, donde se plantan y se espera a que crezcan brotes.

**3** Los brotes son replantados y siguen creciendo.

**4** Las pequeñas plantas se colocan en tierra, en el bosque.

**5** Después de dos años, las plantitas se convierten en árboles jóvenes.

**6** Pasados tres años, se realizan las tareas de poda y fertilización.

**7** Los árboles ya crecidos se cortan y se procede a la replantación.

**8** La madera destinada a diversos fines se separa, y los sobrantes retornan al suelo donde luego se convertirán en material orgánico y nutrientes.

**9** Los troncos se seleccionan, ya sea para pasta de papel o para combustible.

**12** Los troncos con corte son destinados a la pr ducción de energía.

2 de septiembre, Día de la industria
6 de noviembre, Día del comercio

**3** Las maderas para la fabricación de lápices se cortan en tablitas.

**14** Las tablitas se acondicionan para secado y eliminación de plagas.

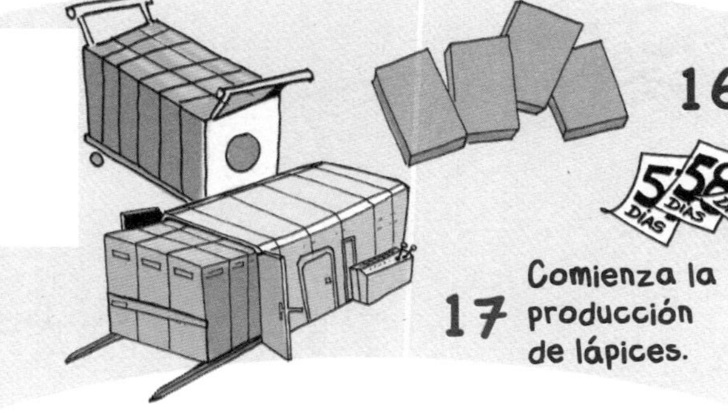

**15** Se vuelve a airear las tablitas y se las acondiciona para un período de estacionamiento.

**16** Las tablitas permanecen 60 días en reposo.

**17** Comienza la producción de lápices.

**11** En el aserradero se preparan los troncos para los diversos usos.

**10** Desde el bosque, donde comenzó todo el proceso, los troncos se transportan hasta el aserradero.

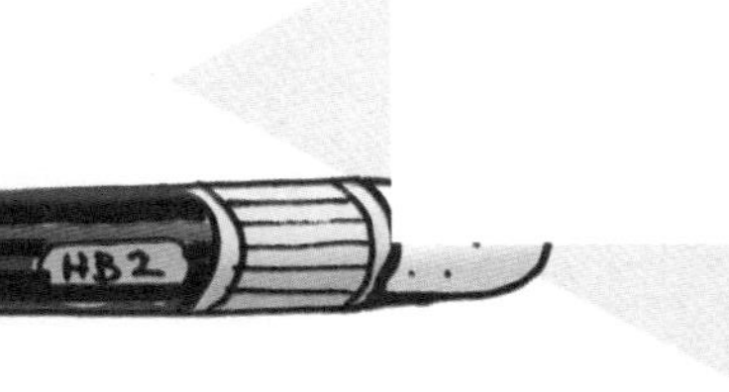

**23**

El lápiz, con una punta bien afilada y una pequeña goma de borrar en el otro extremo, sujeta por un anillo metálico, ya está listo para usar.

**A** Se parte de un bloque de madera, habitualmente de cedro, y se divide en tablitas con hendiduras donde irán las minas de grafito. Se aplica pegamento en esas hendiduras, se ubican las minas en cada una, y encima se coloca un segunda tablita.

**B** Una vez seco el pegamento, otra máquina traza nuevas hendiduras, que son las marcas de corte para separar los lápices.

**C** Ya separados los lápices, se pintan, se barnizan y se les graba la marca, el modelo y un número que indica la dureza de la mina.

**19**

**20**

**21**

El lápiz ya está fabricado, pero el circuito no termina acá. En el cuaderno continúen explicando el proceso hasta que llega el lápiz a la cartuchera.

# ¡SILENCIO! CIENTÍFICOS TRABAJANDO

Realicen las experiencias y peguen la figurita según el método y los instrumentos empleados para separar los componentes.

**Experimentos para hoy: separación de sistemas heterogéneos**

1. Separar arena y limaduras de hierro. Material a emplear: imán. Método: ..................
2. Separar agua y aceite. Material a emplear: ampolla de decantación. Método: ..................
3. Separar polvo naftaleno y talco. Materiales a usar: Vaso de precipitados, soporte, mechero, balón y espátula. Método: ..................
4. Separar corcho de piedras. Materiales: recipiente con agua. Método: ..................
5. Separar agua y piedras. Materiales: otro recipiente. Método: ..................

Para separar los componentes de una mezcla heterogénea se usan métodos físicos, como filtración, tamización, etc.

Vaso de precipitados
Balón
En un laboratorio como este, los científicos estudian, observan y realizan experiencias.
Ampolla de decantación
Soporte
Polvo naftaleno
Talco
Aceite
Mechero
Imán
Espátula

# TIEMPOS PREHISTÓRICOS

El mundo de los dinosaurios era una lucha diaria por la supervivencia. Tanto los herbívoros como los carnívoros tenían que encontrar suficiente comida y tratar de no ser comidos.

Los dinosaurios vegetarianos se concentraban en la defensa. Muchos tenían cuernos, armaduras, espinas o mazos en la cola para defenderse de sus depredadores. La mayoría de ellos vivía en grupos y se desplazaba en manadas.

Los carnívoros se especializaban en el ataque y disponían de armas y tácticas para capturar y matar a sus presas. El golpe mortal lo daban con los dientes o las garras.

## ARMAS DEFENSIVAS

Diplodocus: tenía una cola muy larga y la usaba como un látigo contra sus depredadores.

Tuojiangosaurus: tenía largas espinas en su cola. Con solo balancearla podía herir gravemente a su atacante.

## ARMAS DE ATAQUE

Compsognathus: usaba sus ágiles manos para atrapar y devorar lagartos. Con los dientes afilados, desgarraba la carne pero no la desmenuzaba.

Gallimimus: no tenía dientes, pero contaba con un pico afilado y estrecho. Con él podía atrapar insectos y otros animales pequeños o huevos.

Baryonyx: pescaba peces con los enormes garfios de sus patas delanteras.

A mí no me gustan los dientes del Tyrannosaurus, que eran como puñales muy filosos.

Observando la boca o el pico de los dinosaurios herbívoros se puede saber de qué se alimentaban. No todos comían lo mismo ni de la misma forma. Algunos mordisqueaban las hojas, otros molían los vegetales y otros tragaban enteros todos los bocados.

## ADAPTACIONES PARA LLENAR LA PANZA

**Plateosaurus:** tenía dientes pequeños y endebles. Eran como tijeras que cortaban bocados de hojas tiernas. Como no podía masticar, el animal las tragaba enteras.

**Lambeosaurus:** arrancaba frutos y hojas con su pico, las desmenuzaba y las tragaba.

**Protoceratops:** tenía un pico como de loro para arrancar las hojas. En el fondo de la boca estaban los dientes y con ellos las cortaba y masticaba hasta hacer una pasta.

## CRÁNEOS DEPREDADORES

**Tyrannosaurus:** tenía un cráneo fuerte y mataba a su presa de un mordisco. Gracias a una articulación extra en su mandíbula, podía abrir la boca mucho más que los otros dinosaurios.

**Deinonychus:** era un carnívoro de menor tamaño pero muy feroz. Tenía docenas de dientes pequeños y curvos que eran como una sierra.

¿Sabían? Los saurópodos cuellilargos no podían masticar la comida con los dientes. Para desmenuzarla, tragaban piedras llamadas gastrolitos que, una vez en el estómago, les facilitaba la digestión. Al moverse y entrechocar, los gastrolitos mezclaban y deshacían el contenido del estómago.

# VIAJE A LAS ESTRELLAS

La **Astronomía** es la ciencia que estudia el sistema solar, nuestra galaxia y todo el universo. Para ello se usan telescopios y satélites artificiales.

**Cometa:** cuerpo compuesto de polvo y hielo que gira alrededor del Sol. Muchos cometas tienen dos colas: una de polvo y otra de gas, que pueden medir millones de kilómetros de largo.

**Constelación:** grupo de estrellas que forman dibujos. Hay 88 configuraciones oficialmente reconocidas.

**Agujero negro:** objeto infinitamente denso, de donde ni siquiera la luz puede escapar. Se puede formar cuando una estrella muy masiva estalla como supernova. Hay agujeros negros supermasivos que han devorado millones de estrellas.

**Asteroides:** fragmentos rocosos y/o metálicos que quedaron luego de la formación del Sistema Solar. También se los llama planetoides y giran en órbita alrededor del Sol. La mayoría se encuentran en el cinturón de asteroides entre Marte y Júpiter.

**Cúmulo:** conjunto de estrellas o galaxias agrupadas por la gravedad. Los cúmulos abiertos son grupos más o menos sueltos, formados por unos cientos de estrellas jóvenes. Los más compactos se llaman cúmulos globulares y están compuestos por cientos de miles de estrellas viejas.

**Estrella fugaz:** Su nombre correcto es meteoro. Es el rastro brillante de luz que aparece en el cielo cuando un meteoroide entra en la atmósfera terrestre y se quema.

**Galaxia:** conjunto de miles de millones de estrellas y nebulosas, polvo y gas interestelar, unidos por la gravedad.

**Meteoroide:** pequeño fragmento de roca o de metal que viaja por el espacio. Los más grandes suelen ser pedazos de asteroides. Los más pequeños son, por lo general, partículas de polvo desprendidas de los cometas.

**Nebulosa:** nube de gas y polvo en el espacio. Pueden ser brillantes u oscuras. Por acción de la gravedad, algunas se concentran tan densamente que se originan estrellas.

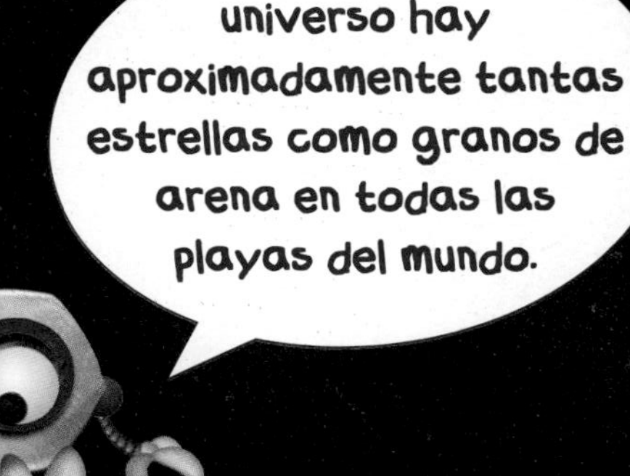


**Supernova:** explosión potentísima que se origina cuando una estrella muy masiva termina su combustible, o cuando una estrella roba demasiada materia de su compañera y estalla en pedazos.
Son estrellas que se autodestruyen en explosiones potentes.
Ningún astrónomo sabe dónde aparecerá una supernova.

# LEYES DE AQUÍ Y DE ALLÁ...

El Poder Legislativo es ejercido por el Congreso de la Nación y está compuesto por una Cámara de Diputados y una Cámara de Senadores; por eso se dice que es bicameral.

En este edificio, ubicado en la Capital del país, funciona el Congreso de la Nación.

LEY EN CAMINO

CÁMARA BAJA

¿Qué es una ley? ¿Por qué son importantes las leyes?

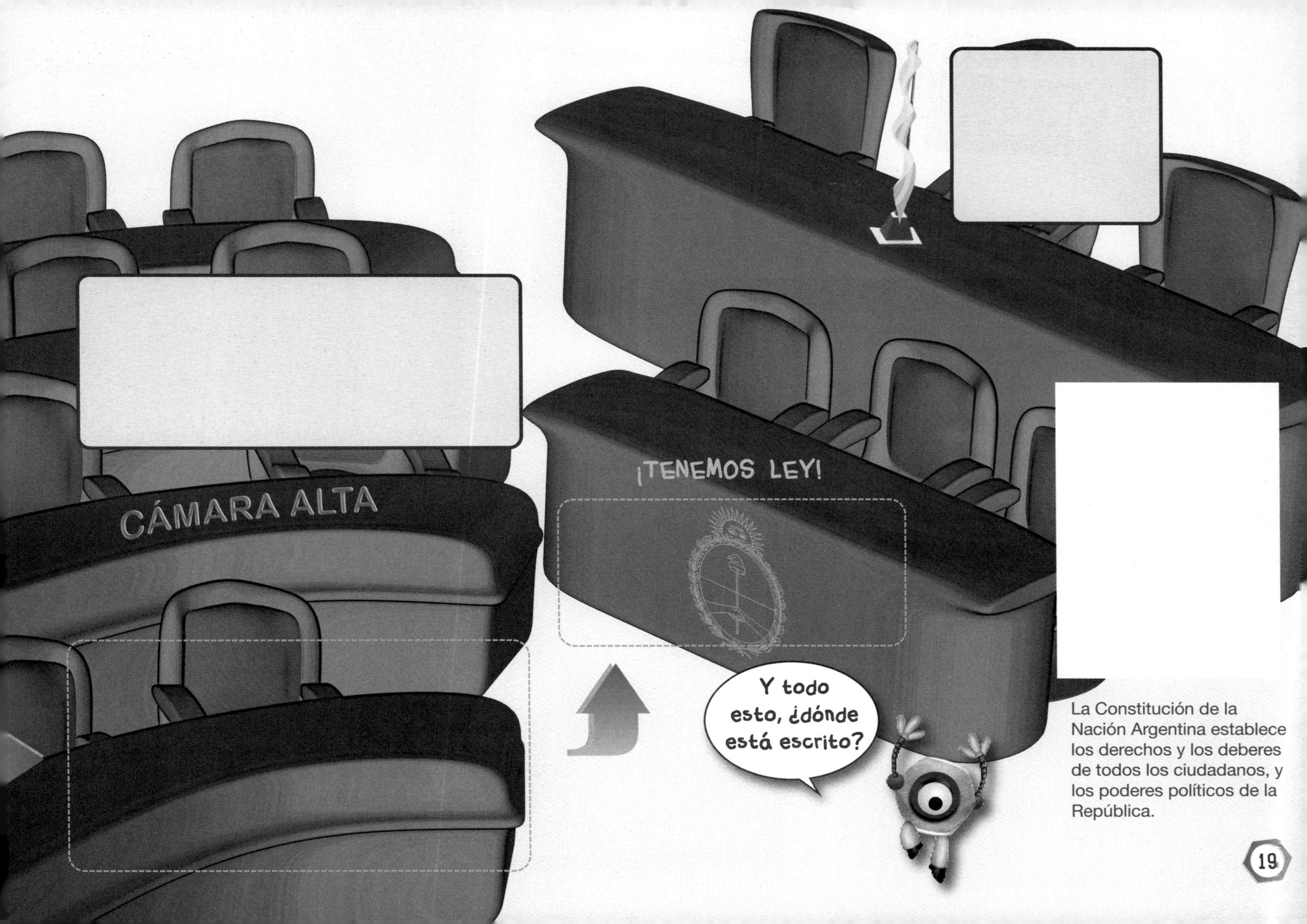


La Constitución de la Nación Argentina establece los derechos y los deberes de todos los ciudadanos, y los poderes políticos de la República.

# OTRAS FECHAS PARA RECORDAR

**8 de marzo**
Día internacional de la mujer

**14 de abril**
Día de las Américas

**1º de mayo**
Día del Trabajo

**1º de mayo**
Día de la Constitución Argentina

**5 de junio**
Día Mundial del Medio Ambiente

18 de julio
Día de la Tolerancia
27 de septiembre Día de los Derechos del Niño y del Adolescente
22 de noviembre
Día de la Flor Nacional
30 de octubre
Día de la Recuperación de la Democracia
22 de noviembre
Día de la Música

# APRENDER A MIRAR

Antonio Berni (1905-1981) fue un pintor de gran trayectoria que hizo del arte una forma de participación social.

Este cuadro se titula *Algodoneros* y fue realizado por Antonio Berni en 1956.

1. ¿En qué provincias argentinas se cosecha algodón?
2. En este cuadro, ¿quiénes trabajan en la cosecha?
3. ¿Dónde vivirán?
4. ¿En qué momento del día están trabajando? ¿En qué época del año se realiza la recolección?
5. ¿Qué herramientas utilizan?
6. ¿Qué cosas se pueden hacer con algodón?
7. ¿Cuáles serán las dificultades del cultivo? Averigüen si hay alguna plaga o fenómeno climático que causa problemas.
8. Investiguen cómo es el proceso productivo del algodón.
9. Lean la biografía de Berni y digan en qué momento de su vida habrá pintado este cuadro.
10. Hay chicos trabajando en la escena pintada. ¿Por qué? ¿Es correcto que los chicos hagan el trabajo de los adultos?

Su papá vino de Italia a vivir a la Argentina, donde trabajó como sastre. Su mamá era hija de italianos.

De joven, Antonio trabajó en un taller de vitraux. Ya le gustaba pintar.

Más tarde, ganó una beca y partió a Europa a estudiar pintura.

Vivió unos años en Europa, conoció muchos pintores y tuvo un montón de amigos.

De regreso en la Argentina, se instaló en el campo y allí pintó cómo vivía la gente de esas zonas.

Tras un viaje a Nueva York, eligió pintar sobre la gente que vive pobremente en ciudades muy ricas.

¡Último trabajo!
Durante este año estudiamos varias disciplinas de las Ciencias Naturales y Sociales. Busquen 15 de ellas en esta sopa de letras.

| | | | | | | | | | | | | | | |
|---|---|---|---|---|---|---|---|---|---|---|---|---|---|---|
| U | H | M | F | O | R | N | A | N | A | T | O | M | Í | A |
| R | Q | U | Í | M | I | C | A | A | M | E | T | I | A | M |
| G | C | E | S | L | O | A | M | E | D | I | C | I | N | A |
| E | R | O | I | H | I | S | T | O | R | I | A | D | O | L |
| O | Z | N | C | O | G | T | N | I | T | R | A | M | F | O |
| L | A | L | A | I | T | R | O | L | A | U | R | A | B | G |
| O | R | P | A | L | E | O | N | T | O | L | O | G | Í | A |
| G | R | O | J | I | X | N | B | I | V | L | L | E | O | E |
| Í | K | L | S | E | C | O | N | O | M | Í | A | O | L | C |
| A | S | I | A | N | D | M | E | R | C | E | Z | G | O | O |
| B | R | T | E | N | T | Í | P | E | Y | L | I | R | G | L |
| R | A | I | Y | Ñ | M | A | Y | C | H | P | N | A | I | O |
| K | R | C | L | O | R | E | N | A | A | Z | V | F | A | G |
| M | O | A | E | N | E | Z | O | O | L | O | G | Í | A | Í |
| T | E | C | N | O | L | O | G | Í | A | S | X | A | B | A |